Pandala
Dofus

SCÉNARIO : TOT
DESSINS & COULEURS : B. HOTTIN

Ankama
Editions

UN CONSEIL... *NE LISEZ PAS CETTE BD* :
ADMIREZ-LÀ !

ELLE VOUS RACONTE UNE HISTOIRE AVEC DES MOTS FAITS DE LUMIÈRE
ET D'IMAGES ARRÊTÉES SUR DES DÉCORS IMMENSES DIGNES DES
MEILLEURS LONGS-MÉTRAGES ET CELA AU CREUX DE VOTRE MAIN.
ELLE VOUS PLONGE AU CŒUR DE L'ACTION AU MILIEU DES SONS,
DES CRIS ET DE LA FUREUR... SANS UN MOT, SANS UNE
SEULE PAROLE ÉCHANGÉE.

DÈS LORS, *PANDALA* VOUS LAISSE LIBRE DE LUI OFFRIR UNE
BANDE-SON IDÉALE...
OUVREZ VOTRE ORDINATEUR OU VOTRE BALADEUR ET LANCEZ LA
PLAYLIST QUI RYTHMERA LA LECTURE DE CE NOUVEAU RÉCIT.

ET SOUVENEZ-VOUS *! LE POIDS DES MOTS, LE CHOC DES IMAGES*
N'ONT PLUS DE SENS CAR À L'ÉVIDENCE C'EST DÉSORMAIS :
LE POIDS DES IMAGES,
LE SILENCE DES MOTS !

HERENGUEL ÉRIC

Imprimé par
PROOST-TURNHOUT (Belgique)
Dépôt légal : avril 2007
ISBN : 978-2-9524509-9-7

Scénario : Tot
Dessins & couleurs : B. Hottin
contact : bhottin@ankama.com
www.bertrandhottin.com

Chapitre 1.
PANDALA

Chapitre 2.
KITSOU

Chapitre 4 -
PANDAWUSHU

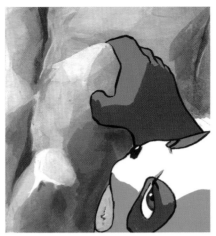

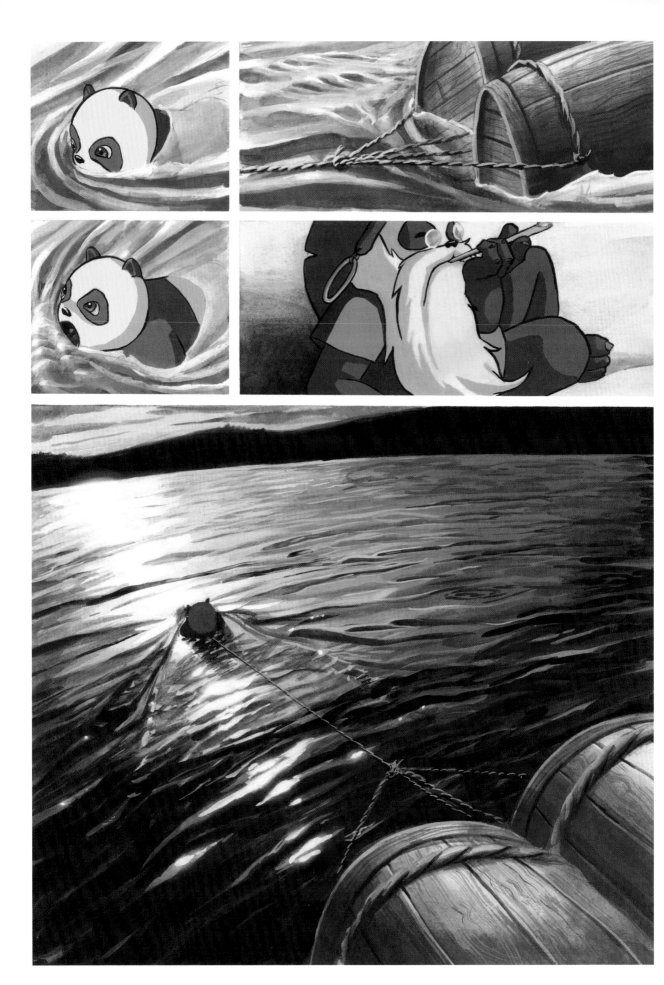

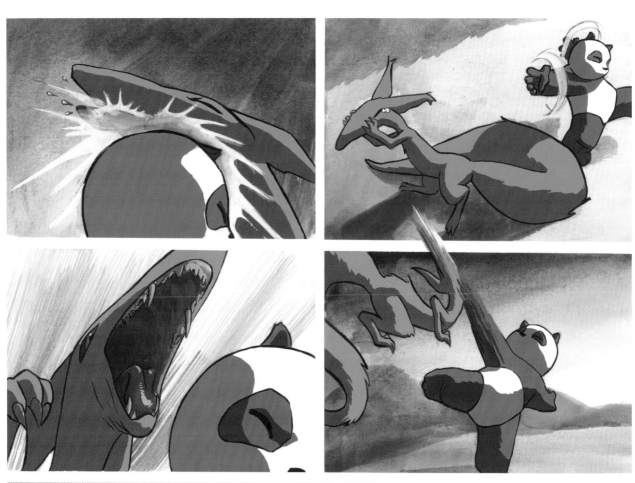

Chapitre 5
LEOPARDO

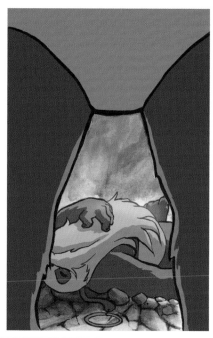

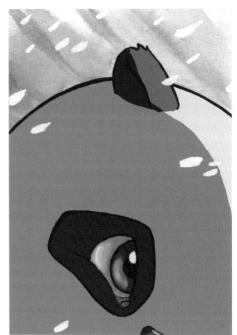

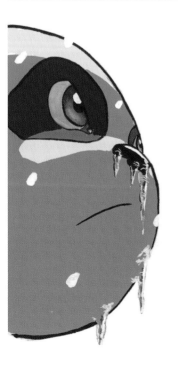

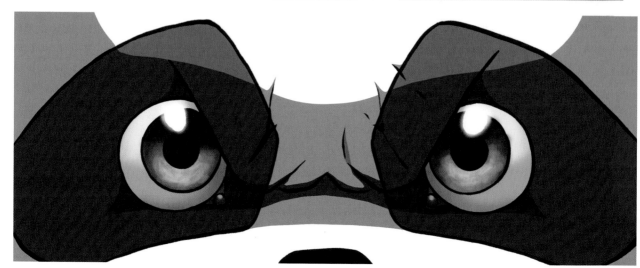

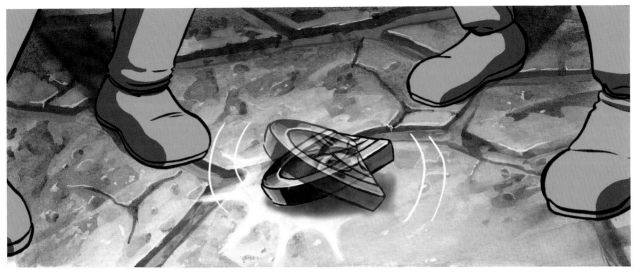

Chapitre 7.
YOKAI FIREFOUX

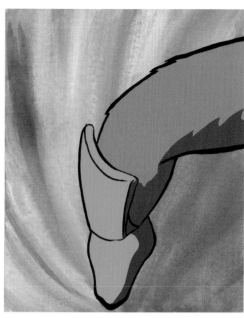

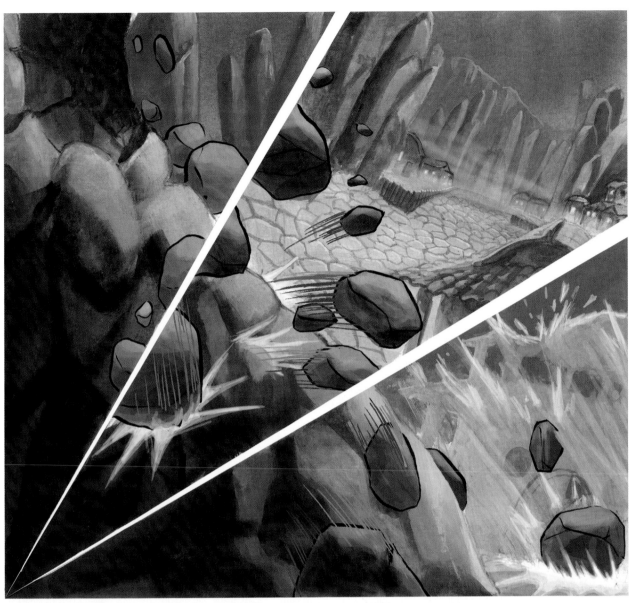

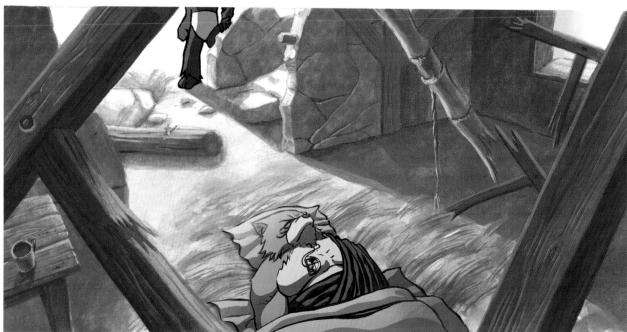

FIN ?

KURI
DIRECTEUR DE L'ANIMATION DOFUS

CROUNCHANN

ANCESTRAL Z
ANCESTRAL-Z.COM

BRUNOWARO
BRUNOWARO.COM